Le pire moment

Texte : Andrée Poulin

À mon frère Maurice, clown à ses heures.

Illustrations : Philippe Beha

À Fanny et à Sara.

imagine

Le pire moment pour se faire dire non,

c'est quand on a envie d'un bonbon.

Le pire moment pour s'érafler un genou,

c'est quand maman n'est pas là pour faire un bisou.

Le pire moment pour jouer de la trompette,

c'est quand Bébé fait la sieste.

Le pire moment pour avaler une mouche,

c'est quand on est en train de gagner la course.

Le pire moment pour renverser son jus de raisin,

c'est quand on vient de terminer son dessin.

Le pire moment pour péter,

c'est quand la chorale cesse de chanter.

Le pire moment pour étrenner son nouvel habit,

c'est quand papa sert du spaghetti.

Le pire moment pour avoir la varicelle,

c'est le jour où on souffle ses chandelles.

Le pire moment pour perdre son ourson,

c'est à l'heure du roupillon.

Le pire moment pour avoir envie de pipi,

c'est quand la partie n'est pas finie.

Le pire moment pour avoir des poux,

c'est quand on a prévu dormir chez Loulou.

**Catalogage avant publication
de Bibliothèque et Archives nationales du Québec
et Bibliothèque et Archives Canada**

Poulin, Andrée

Le pire moment

(Mes premières histoires)
Pour enfants de 3 à 5 ans.

ISBN 978-2-89608-054-0

I. Béha, Philippe. II. Titre. III. Collection :
Mes premières histoires (Éditions Imagine).

PS8581.O837P57 2008
jC843'.54 C2007-942214-4
PS9581.O837P57 2008

Dans la même série : Le meilleur moment

Graphisme : Pierre David

Dépôt légal : 2008
Bibliothèque nationale du Québec
Bibliothèque nationale du Canada

Les éditions Imagine
4446, boul. Saint-Laurent, 7e étage
Montréal (Québec) H2W 1Z5
Courriel : info@editionsimagine.com
Site Internet : www.editionsimagine.com

Imprimé au Québec
10 9 8 7 6 5 4 3 2 1

Société
de développement
des entreprises
culturelles
Québec

Conseil des Arts   Canada Council
du Canada   for the Arts

Gouvernement du Québec – Programme de crédit d'impôt
pour l'édition de livres – Gestion SODEC – Programme d'aide
aux entreprises du livre et de l'édition spécialisée.

Nous reconnaissons l'aide financière du gouvernement du Canada
par l'entremise du programme d'aide au développement de l'industrie
de l'édition (PADIÉ) pour nos activités d'édition.

Nous remercions le Conseil des Arts du Canada
de l'aide accordée à notre programme de publication.